Een vriendinnetje voor
prinsje Alexander

Voor Máxima en Alexander
Veel liefs en geluk!

Van dezelfde auteurs is tevens verkrijgbaar
de cd *Leve prinsje Alexander* — liedjes en versjes
Uitgegeven door Keec B.V. — catalogusnr. 55 28652
ISBN 90 7678408 6

Een vriendinnetje voor prinsje Alexander

Marianne Busser en Ron Schröder
Met tekeningen van Marijke Duffhauss

Van Holkema & Warendorf

Dit is prinsje Alexander
en hij is zich aan 't vervelen
daarom vraagt hij aan zijn mama:
mag er iemand komen spelen?

De koningin zegt: dat is goed
ik denk wel dat dat kan
wil je Jaap of Joris vragen
Bastiaan of Pieter-Jan?

Wie wil je het liefste?
denk maar even heel goed na
en dan roept Alexander vrolijk:
ik weet het – ik wil Máxima!

Mama zegt: ga jij maar bellen
ik noem alle nummers wel
en nog geen tien minuten later
horen ze ineens de bel

En ja hoor – daar is Máxima
met een mutsje en een das
en twee mooie rode laarsjes
en een dikke winterjas

Hoi, zegt prinsje Alexander
leuk zeg, dat je er al bent
laten we naar zolder gaan
want daar staat mijn nieuwe tent

Samen rennen ze de trap op
Máxima zegt: dát is fijn
als die tent nu ons paleis is
kun jij mooi de koning zijn

Goed idee, roept Alexander
en hij kruipt het tentje in
ik knip zo voor jou een kroontje
dan ben jij de koningin

Alexander pakt een schaartje
en hij knipt een mooie kroon
en daarná haalt hij een stoeltje
en hij zegt: dat is je troon

En alle poppen – alle beren
alle knuffels – groot en klein
mogen dan voor één keer
prinsen en prinsessen zijn

Dan haalt prinsje Alexander
zijn serviesje uit de kast
en hij zegt: dek jij de tafel
dan maak ik het eten vast

Met zijn keukentje vol pannen
gaat hij zingend aan de slag
en hij roept: nou, jullie boffen
het is pannenkoekendag!

Elke knuffel krijgt een bordje
en een vorkje en een mes
en ze moeten netjes eten
dus geeft Máxima ze les:

Denk erom: je mag niet prakken
niet praten met een volle mond
absoluut geen boertje laten
en niet knoeien op de grond

Alle prinsen en prinsessen
moeten lief en aardig zijn
en om alle grapjes lachen
ook al is dat soms niet fijn

Altijd goed je handjes wassen
beleefd zijn tegen iedereen
en netjes met twee woorden praten
ook al weet je er maar één

Als de knuffels moeten slapen
geeft Alexander ze een zoen
en dan zegt Máxima tevreden:
nú gaan we iets anders doen

Ze rennen samen naar de keuken
en daar staat de koningin
ze heeft een boterkoek gebakken
en schenkt wat limonade in

Ze smullen met z'n tweeën
van de stukken boterkoek
en daarná mogen ze kijken
in het dikke fotoboek

Ze zien heel veel Alexanders:
in een houten kinderstoel
in een buggy – op een fietsje
en als keeper in het doel

Een leuke foto van het prinsje
in een badje op het gras
en ook één als hij is gevallen
in een grote modderplas

Na de allerlaatste foto
zegt Alexander: ga je mee
dan gaan we samen naar de vijver
vind je dat geen goed idee?

Daar ga ik je leren schaatsen
want dat kan ik heel erg goed
en je hoeft niet bang te zijn hoor
ik zal voordoen hoe het moet

Kom, dan gaan we even kijken
onderin de kelderkast
er liggen tussen al die spullen
vast wel schaatsen die je past

Daarna gaan ze snel naar buiten
heel gezellig – hand in hand
ik begin, zegt Alexander
wacht jíj maar even aan de kant

En dan schaatst hij op de vijver
van het koninklijk paleis
maar na zeven rondjes draaien
valt hij keihard op het ijs

Au, schreeuwt prinsje Alexander
dat is wel ontzettend stom!
Máxima zegt lachend: ja zeg,
dat was wél een beetje dom

Dan trekt kleine Máxima
zelf haar eigen schaatsen aan
en probeert dan heel voorzichtig
of ze al kan blijven staan

Maar dat wil nog niet zo lukken
en ze bibbert van de kou
Alexander roept: wacht even
ik haal snel een stoel voor jou

Daarna gaat het al iets beter
Máxima rijdt langzaam rond
en omdat ze 't stoeltje vasthoudt
valt ze zelfs niet op de grond

Alexander roept: je kúnt het!
ik ben apetrots op jou
en ik moet je nóg iets zeggen
weet je dat ik van je hou?

Wil je later met me trouwen?
dat zou echt geweldig zijn
en Máxima zegt heel verlegen:
nou, dat lijkt me best wel fijn

Ik wil heel graag met je trouwen
als we groot zijn allebei
dan doe ik mijn mooiste jurk aan
Ja! roept Alexander blij

Maar nú wil ik naar binnen
zegt de kleine Máxima
ik sta helemaal te rillen
ik wil warme chocola

Als het laatste slokje op is
moet Máxima weer gaan
maar als ze bij de deur zijn
blijft ze toch nog even staan

En dan gaan ze kusjes geven
zij aan hem en hij aan haar
honderdduizend lieve kusjes
want... ze houden van elkaar!

Eerste druk, april 2001
Tweede druk, mei 2001
Derde druk, juli 2001
Vierde druk, september 2001
Vijfde druk, november 2001
Zesde druk, december 2001
Zevende druk, januari 2002
Achtste druk, maart 2002
Copyright © 2001
Van Holkema & Warendorf/Unieboek bv,
Postbus 97, 3990 DB Houten

www.unieboek.nl

Omslagillustratie en illustraties binnenwerk:
Marijke Duffhauss
Opmaak: ZetSpiegel, Best
ISBN 90 269 2516 6
NUR 350